D1029001

MÉMÉ À LA PLAGE

Rhéa Dufresne
Aurélie Grand

Les 400 coups

VRZZZZZ
VRZZZZ
ZZRZ
PAF!

POM
TSSK
POM
TSSK
TAC
TAC
TAC
KRK
KRRK
KR KR
KR KR

KRZ
KZR
KRZ
TCHIK-TCHAK
TCHIK-TCHA
GRWOUF
WOUF WOUF

POC
POC
POC
ZZVRUIK
KLAK
KLAK
KLAK

– Y en a marre!

– Mémé ! Où vas-tu ?
– Je vais lire à la plage.
Il y a beaucoup trop de bruit ici.

– Où allez-vous comme ça ?
– Mémé et moi, nous allons à la plage.
– Je viens aussi. Attendez-moi.

– Voilà ! J’ai tout ce qu’il nous faut.

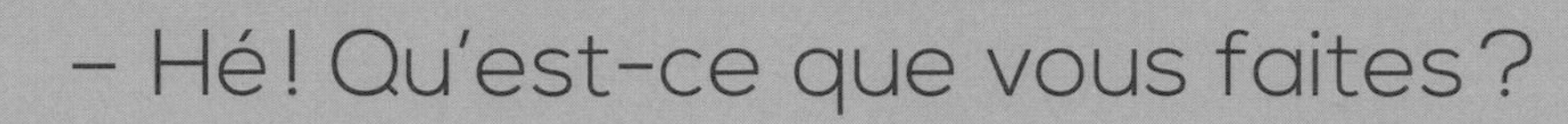

– Hé ! Qu'est-ce que vous faites ?

– Nous allons à la plage, marmonne Mémé exaspérée.
– Oh ! Deux minutes et je suis prête.

– J’attache ça sur le toit
et nous pourrons partir.

SKI
BERNARD

– Et moi, j'apporte
le pique-nique !

– C'est bon ! Maintenant, on y va ?

– J’arrive ! Une minute !
– Tu ne sais même pas où l’on va, réplique Mémé.
– Avec tout ce bazar, facile à deviner. Vous allez à la plage.

KIN

BI-BOP
BI-BOOP

LORIDA
A

– En route ! crie Pépé.
– Youpi !

– Enfin seule ! C'était un peu long mais ça valait le coup !

Albert Gramou

Nous remercions le Conseil des arts du Canada de l'aide accordée à notre programme de publication et la SODEC pour son appui financier en vertu du Programme d'aide aux entreprises du livre et de l'édition spécialisée.

Nous reconnaissons l'aide financière du gouvernement du Canada par l'entremise du Fonds du livre du Canada (FLC) pour nos activités d'édition.

Gouvernement du Québec – Programme de crédit d'impôt pour l'édition de livres – Gestion SODEC

Les Éditions Les 400 coups sont membres de l'ANEL.

MÉMÉ À LA PLAGE a été publié sous la direction de Renaud Plante.

Design graphique : Bruno Ricca
Révision : Marie-Andrée Dufresne
Correction : Sophie Sainte-Marie

Dépôt légal – 2e trimestre 2018
Bibliothèque et Archives nationales du Québec
Bibliothèque et Archives Canada

ISBN 978-2-89540-769-0

Loi 49-956 du 16 juillet 1949 sur les publications destinées à la jeunesse.

Imprimé en Chine

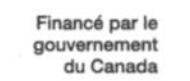

Canada